# 타로배열법
# 완전정복

지은이

박광열

# 머리말

 타로카드는 서양에서 발전되어 온 점성술의 한 갈래입니다. 동양에서 전해 내려오는 ′주역′에 비견될 만큼 유명한 점성술 중 하나라고 볼 수 있습니다.

타로카드는 78장의 카드로 구성되어 있습니다. 그리고 각각의 카드는 독특한 의미의 그림이 그려져 있습니다. 해석자는 이 수십장의 카드를 조합하고 배열한 후, 각 카드별 그림의 의미를 기본으로 하여, 카드의 방향 그리고 카드의 위치와 카드를 해석하는 순서를 종합하여 점괘를 완성하고, 이 내용을 바탕으로 내담자와의 상담을 진행하는 체계를 가지고 있습니다.

주역의 경우 해석자가 점괘를 완성하면, 내담자 입장에서는 해석자의 권위에 기대 일방적으로 결과를 통보받는 상황이 되기 쉬운 상황이 됩니다.

타로카드의 경우 이와는 달리, 해석자가 점괘를 보는 전 과정이 내담자에게 공개되며, 점괘를 보는 과정을 공개하는 동시에 내담자와 소통을 하며 점괘를 함께 완성하게 됩니다.

이러한 과정에서 해석자는 내담자가 가지고 있던 의문점을 보다 정확히 알 수 있게 되기 때문에 점괘의 신뢰성과 이해도를 조금 더 높일 수 있습니다.

내담자 입장에서도, 해석자가 사용하는 각 카드에 새겨진 의미와 해석방법을 완전히 이해하진 못하더라도, 해석자가 점괘를 보고 소통하는 과정에서 카드에 담긴 의미를 조금이나마 쉽게 받아들일 수 있게 됩니다. 이것은 동서양을 막론하고 타로카드가 우위에 있는 특징이라고 볼 수 있겠습니다.

이것은 내담자에게 풍부한 시각적 볼거리를 제공함과 동시에, 타로카드에 흥미를 끌게 하는 주된 요인이 되기도 합니다.

타로카드를 조합하고 배열한 후, 각 카드별 그림의 의미를 기본으로 하여, 카드의 방향, 그리고 카드의 위치와 카드를 해석하는 순서를 인과적으로 체계적으로 해석해 가는 것이 배열법의 토대로 볼수 있습니다.

아울러 현재 사용가능한 고정배열법 및 이동(유동)배열법을 설명함으로써 타로카드 해석의 체계를 더욱 견고히 할수 있도록 구성되었습니다. 타로 점을 보기 위해서는 타로 카드 각각의 해석 뿐만 아니라 타로의 배열에 따라서 정확도와 함께 타로리더가 시간적, 공간적 구성을 할 수 있게 도와주기 때문입니다.

타로 원리와 함께 배열하는 방법을 함께 숙지하면 정확한 타로 해석을 하실 수 있습니다. 본서를 통하여 타로의 여러 배열을 응용함으로써 타로해석의 다양성을 경험하고 소기의 성과를 거두기를 기원합니다.

# 목 차

THE MAGICIAN

UPRIGHT: WILLPOWER, CREATION, INFLUENCE
REVERSED: MANIPULATION, TRICKERY, CUNNING

# 1. 3카드 배열법

| | 인과적 프로세스 | | |
| --- | --- | --- | --- |
| | 1번카드 | 2번카드 | 3번카드 |
| | | | |
| (1) | 서론 | 본론 | 결론 |
| (2) | 처음 | 중간 | 끝 |
| (3) | 원인 | 경과 | 결과 |
| (4) | 아침 | 점심 | 저녁 |
| (5) | 과거 | 현재 | 미래 |
| (6) | 현재상태 | 문제점 | 결론 |
| (7) | 정 | 반 | 합 |
| (8) | 내면 | 외면 | 균형 |
| (9) | 감정 | 생각 | 행동 |
| (10) | 나 | 너 | 우리 |
| (11) | 1차 | 2차 | 종합 |
| (12) | 이번달 | 다음달 | 토탈 |
| (13) | 전반 | 후반 | 결과 |
| (14) | A마음 | B마음 | C마음 |
| (15) | 금전운 | 들어올곳 | 결과 |
| (16) | 속마음 | 겉마음 | 결론 |
| (17) | A상태 | B상태 | C상태 |
| (18) | 현재상태 | 앞으로 | 결론 |
| (19) | 머리 | 가슴 | 다리 |
| (20) | 정신 | 육체 | 종합 |
| (21) | 기타1 | 기타2 | 기타3 |

기본타로 배열인 3카드 배열법과 그 외 몇가지의
타로배열법을 소개 합니다.
본인에게 맞는 것을 선택하여 타로를 리딩하는데 적용해
가면서 문제를 해결해 나가면 됩니다.

(1) 서론, 본론, 결론순

 주어진 질문에 따라 각 위치를 어떻게 해석할 것인지는
리더가 사전에 마음속으로 결정을 합니다. 이번 3카드는
서론, 본론, 결론 식으로 결론을 도출해야겠다고 미리 결정을
한후 배열 합니다.
이미지에 나와있는 각 위치 의미 말고도 리더가 스스로
의미를 미리 부여해서 해석하는 경우도 있습니다, 단
카드를 선택하기 전에 위치는 먼저 정해야 합니다.
서론, 본론, 결론의 위치는 어떤 일의 진행이나 흐름을
보기에 적합한 스프레드입니다.

(2) 처음, 중간, 끝순

 어떤 일의 진행 흐름과 결론을 도출하거나 사업이나 연애
또는 기타 일의 진행상황등을 살펴보기에도 적합합니다.

(3) 원인, 경과, 결과순

 어떤 문제가 발생했을 때 그 문제의 원인이 무엇인지

파악하고 그로 인해 어떤 일들이 있었으며, 앞으로 어떤 결과가 발생할지 파악하는 것입니다.
현재 어떤 문제가 있고 그 문제에 대해 내가 어떻게 행동을 해야 더 좋은 결과가 나타나게 될까를 생각해 볼 수 있습니다.

(4) 아침, 점심, 저녁순

하루일과의 흐름이나 그날의 일진을 점검하거나 하루운세를 보기위한 스프레드로 적합합니다.

(5) 과거, 현재, 미래 순

배열하는 데 있어서 가장 일반적인 배열은 과거, 현재, 미래 형식의 순으로 지금 주어진 문제가 어떻게 시작되었는지 알아보고, 현재는 그 문제가 어떻게 작용하고 있는지 그리고 앞으로 어떻게 해야 하는지 통찰하게 됩니다.

(6) 현재상태, 문제점, 결론순

문제의 원인을 찾는 동시에 앞으로의 흐름이 어떻게 될지 읽어내는 타로카드 스프레드 종류입니다.
이 타로카드 스프레드 방법은 문제의 원인과 해결책을 시원하게 밝혀 줍니다. 결론은 지금 상태대로 나아갔을 때

찾아올 가능성이 큰 미래를 말합니다.
만약 여기에 좋지 않은 카드가 나왔다면, 조언(4) 카드를
실천했을 때 미래가 어떻게 바뀔지, 카드를 한 장 더
뽑아보는 것도 좋습니다.

## (7) 정, 반, 합 순

주어진 문제에 대한 강점이나 긍정적인 면이 무엇인지
파악하고, 그로 인한 문제점이나 방해요소는 무엇인지
파악한 다음 그것을 어떻게 해결해 나가야 하는지 생각하게
됩니다.

## (8) 내면, 외면, 균형 순

어떠한 문제에 대해 겉으로 드러난 부분과 내부적인
사정을 알아보고 이를 어떻게 조율해 균형과 조화를 만들어
갈 것인가 고찰하게 됩니다.
내면, 외면, 균형은 꼭 안팎의 문제가 아니라 몸과 마음,
나와 너, 개인과 단체, 나와 주변 환경, 내가 기대하는
것과 현실의 상황 그리고 희망하는 것과 두려움 등과 같이
서로 조화를 이루어야 하는 모든 것들을 나타낼 수
있습니다.
어떤 궁금증을 질문을 하느냐에 따라 순서는 1, 2, 3이
아닌 1, 3, 2 순서로 배열하기도 합니다.

## (9) 감정, 생각, 행동 순

문제에 대한 내 태도를 되돌아 봄으로써 더 나은 결론을 이끌어 낼 수 있습니다.
문제에 대한 나의 일차적인 느낌과 감정이 어떠한지 돌아보고 그에 대해 객관적이고 논리적으로 생각한 다음 내가 취했던 행동 또는 앞으로 취해야 할 행동을 판단하게 됩니다.
타로는 신점을 보는 무속인이나 명리학의 학문과는 다른 기본 원리와 분석, 심리 등 마스터의 해석이 큰 부분을 좌우하는 거 같습니다.
이처럼 3카드배열만 잘 읽으시면 대다수의 카드를 리딩할수 있습니다.
나머지는 기본을 변형시킨 스프레드 입니다.
주어진 질문에 따라 각 위치를 어떻게 해석할 것인지는 리더가 사전에 마음속으로 결정을 합니다.
3카드 뒤에 기타1, 기타2, 기타3등과 같이 카드를 배치하여 옵션에 대한 답을 찾을 때 쓰기도 합니다.

## (10) 나, 너, 우리순

단체나 조직에서 집단의 성격등을 규정해볼 때 사용해볼수 있는 스프레드입니다.
조직에서 나의 위치나 내가 해야할 것 주변을 둘러싼 분위기등을 볼수 있습니다.

(11) 1차, 2차, 결론

 각종 시험이나 차수별로 진행되는 형태의 진행상황의
결과등을 예측할 때 사용하는 스프레드입니다.

(12) 이번달, 다음달, 토탈

 어떤 실적이나 상황등의 진행상태와 결과등을 도출해볼수
있는 스프레드입니다.

(13) 전반, 후반, 결과

 어떤일의 전후반 상태와 결과를 도출하고 예측할 때
사용할수 있는 유용한 스프레드입니다.
예를 들면 한해를 통틀어 한해의 전반과 한해의 후반
그리고 결과적으로 어떤 운이 향상될지 퇴보될지 무엇을
조심해야할지 등을 큰범주에서 파악해 보는
스프레드입니다.

(14) A마음, B마음, C마음

 사람의 마음은 일할때 따로, 연애할때 따로 나뉘어져
있는게 아니라 통합적이기때문에 그 사람의 상황을
파악하는게 좋습니다. 상대방이 힘든 상황일때는 대부분
속마음도 힘들게 나오는 경우가 많았습니다.

마음을 점검하고 읽을 때 사용할수 있는 스프레드입니다.

(15) 금전운, 들어올곳, 결과순

 돈이 들어올곳이 있는지. 들어올 돈은 확실히 들어올지
알아보는 스프레드입니다.

(16) 속마음, 겉마음, 결론순

 우선 타로카드 1장은 표면적인 심리나 마음이라고 보시면
됩니다. 겉마음이라고 많이들 부르기도 하는데 대부분
당사자도 어느 정도 느낄 수 있는, 겉으로 드러난
부분입니다. 또 한장은 표면적으로는 드러나지 않으나
안에서 작용하고 있는 심리나 마음으로, 속마음이라고
부르기도 합니다. 경우에 따라 겉마음을 설명하거나 그
이유를 나타내기도 하며 다른 모습을 보이는 경우도
있습니다. 타로 카드 상담을 해보면 아시겠지만 케이스에
따라 겉과 속이 같을 수도 다를 수도 있고 복잡하게 표현될
수도 있습니다.
3장으로 마음을 다 읽는다는 것은 다소 어려울수도
있겠으나 총체적인 상대방의 마음을 읽을 때 사용해 볼수
있는 스프레드가 되겠습니다.

(17) A상태, B상태, C상태순

삼각관계라던지 3가지를 선택할 때 비교해서 성격이나
특징을 대표적으로 추론해볼수 있는 스프레드가
되겠습니다.
고도의 집중력이 필요하다고 볼수 있습니다.
3카드로 판별하기 힘들다면 9장을 사용하셔도 됩니다.

(18) 현재상태, 앞으로, 결론순

현재처한 상황에서 앞으로는 어떤 상황이 전개될지 결론은
어떻게 도달할지 유추해보는 스프레드입니다.

(19) 머리, 가슴, 다리

이를테면 건강운이라든지 여러 가지 상황에서 어떤부분에
집중해야 하는지 조심해야 하는지 아니면 에너지가 가장
많이 집중되는지 파악해볼수 있습니다.

(20) 정신, 육체, 종합

정신적으로 추구하는것과 육체적으로 추구하는 것
전반적인 욕구나 욕망이 집중되는것들을 관찰해볼수
있습니다.

(21) 기타1, 기타2, 기타3

세 장 배열법 만으로도 웬만한 타로 상담이 가능할
정도로 세 장 배열의 활용도는 무궁하지만 조금더 디테일한
답이 필요할 경우에는 추가로 조언 카드 한 장을 더 뽑아서
총 네 장으로 리딩할 수도 있습니다. 단순하게 세 장을
나란히 배열하는 방법, 흔히들 가장 초보적이라고 하는
배열법을 선호합니다. 얼굴을 맞댄 실제 상담에서 복잡한
배열법은 상담을 방해하는 측면이 있습니다. 간단명료하게
상담의뢰자도 쉽게 이해할 수 있다는 장점뿐 아니라, 가장
단순해 보이나 그 배열 방법이 가장 적절하다는 편리함이
있었습니다. 타로마스터가 주어진 질문에 따라 각 위치를
어떻게 해석할 것인지는 리더가 사전에 마음속으로 결정을
합니다
예를들면 이번 3카드는 서론, 본론, 결론순으로 보겠다는
식입니다.

## 2. 4카드 배열법의 종류

| | 인과적 프로세스 | | | |
|---|---|---|---|---|
| | 1번카드 | 2번카드 | 3번카드 | 4번카드 |
| | | | | |
| (1) | 원인 | 과정 | 결과 | 총운 |
| (2) | 과거 | 현재 | 미래 | 총운 |
| (3) | 나 | 너 | 우리 | 총운 |
| (4) | 1분기 | 2분기 | 3분기 | 4분기 |
| (5) | 봄 | 여름 | 가을 | 겨울 |

각 자리별 의미는 세 장 배열에서 조금더 구체적으로 확장된거라 보시면 됩니다.

배열 순서대로 응용해 보면,

원인 - 과정 - 결과 - 총운

과거 - 현재 - 미래 - 총운

나 -너 - 우리 - 총운

1분기 - 2분기 - 3분기 - 4분기

봄 - 여름 - 가을 - 겨울

이런순으로 응용 가능합니다.
4카드는 3카드의 연장선상의 배열이라 크게 특이한 점은
없습니다.
3카드와 마찬가지로 네 장의 카드 배열만으로도 모든
질문의 상담이 충분히 가능합니다.

## 3. 선택의 기로 양자택일 배열법

* 양자택일 선택의 기로

　선택의 기로에서 양자택일배열법을 사용하여 그림과 같이
오른쪽으로 1번을 기준하여 오른쪽3장 왼쪽 3장을
배열하여 비교하여 어느쪽이 더 좋은 상태인가를 판별하게
됩니다.

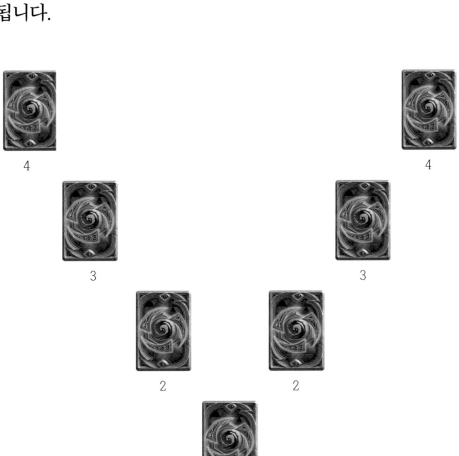

<<양자택일의 예>>

(선택의 상황에서 어떤 경우가 좋을지 판별하는 스프레드)

(1) A를 선택할까? B를 선택할까?
(2) 이여자가 좋은가? 저여자가 좋은가?
(3) 이남자가 좋은가? 저남자가 좋은가?
(4) 학업을 계속해야 할까? 취직을 해야 할까?
(5) 기술직이 좋을까? 사무직이 좋을까?
(6) 결혼을 할까? 계속일을 할까?
(7) 만나야 하는가? 만나지 않아야 하는가?
(8) 이 대학이 좋은가? 저 대학이 좋은가?

## 4. 집시십자 스프레드

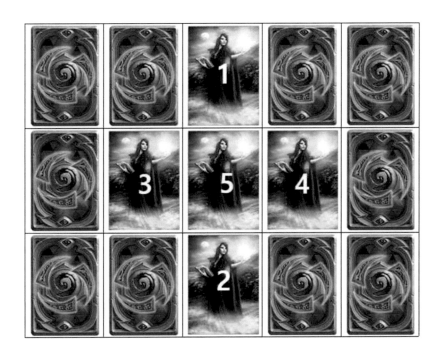

 집시십자 스프레드는 사랑점을 볼 때 배열합니다.
'-'은 열지 않는 카드를 가르킵니다. 메이저 카드로만
진행해도 됩니다.
카드를 첨에5장씩 뒤집은채 놓아두고 그리고 순서대로
까뒤집는 겁니다.
집시 스프레드에 대해서 간략하게 설명 하겠습니다..
일명 집시의 십자 스프레드라고도 부르는 집시 스프레드는
메이저 아르카나 22장을 사용하여 치는 전개법이고 주로
궁합운을 볼때 이것을 애용합니다
이 스프레드는 적은 카드를 이용하기 때문에 배우기는

쉽지만 고도의 독해력을 필요로 합니다.
우선 메이저 아르카나를 적절히 섞은 후 15장을 왼쪽
위부터 순차적으로 배열합니다

<<상황별 리딩 프로세스>>

1-상대의 현재 마음상태
2-자신의 현재 상황
3-자신이 취해야 할 대응책
4-두사람을 둘러싼 주위의 상황을 나타냅니다..
5-최종상황을 나타냅니다.

## 5. 전생 스프레드

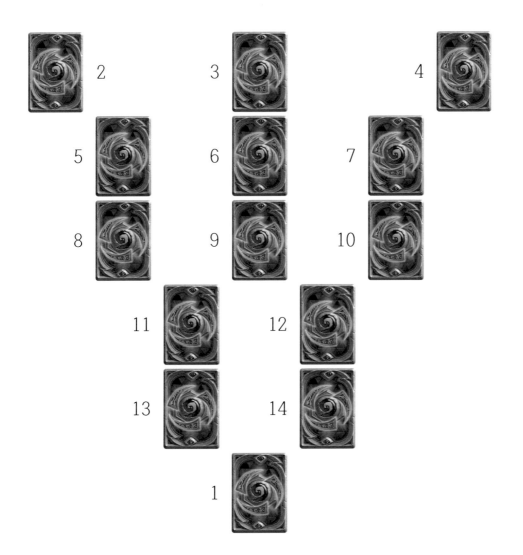

전생을 리딩해 볼수 있는  스프레드입니다.
피라미드형으로 쌓아서 리딩하게 됩니다.
누구나 한 번쯤은 궁금할법한 나의 전생을 리딩 합니다.

<<전개하는법>>

① 영혼의 본질 - 행복·사랑·슬픔 혹은 어떠한 집합의식

② 환경 - 전생을 연구하려는 인물의 환경

③ 어린 시절 - 환경(②)에 영향을 받은 인물의 어린 시절

④ 교육 정도 - 어린 시절(③) 혹은 사망할 때까지 배움의 정도

⑤ 업적 - 전생을 살며 달성한 업적

⑥ 직업 - 업적(⑤)의 바탕이 되거나 무관할수 있는 직업

⑦ 사회적 지위 - 연구하려는 인물이 속한 집단이나 사회에서 차지했던 위치

⑧ 인간관계 - 사회적 지위(⑦)에 바탕이 되거나 무관할수 있는 인간대 인간의 관계

⑨ 가족관계와 생활 - 인간관계(⑧)의 기본이 되는 인물의 가족관계와 생활

⑩ 죽음 - 전생을 연구하려는 인물의 최후

⑪⑫ 전생을 통해 배운 것들

⑬⑭ 전생의 삶이 이번 생애에 미치는 영향
78장의 모든 카드를 사용합니다.
꼭 그래야만 하는 건 아니지만, 모든 질문을 이어 해석해
나갈수 있습니다.
가족관계와 생활(⑨)은 인간관계(⑧)와 이어지고 여기서 또
사회적 지위(⑦)로 계속 이어집니다.

이런 식으로 대부분의 대답이 서로 연관되기에 굉장히
재밌는 해석이 나오게 됩니다.
익히기는 조금 어렵지만, 배워두면 정말 재밌는 배열법인
건 확실합니다.
타로 스프레드는 자신에게 가장 편한 방법으로 쓰시는 것이
가장 좋습니다!

* 전생은 단 하나인 것이 아니므로, 최근의 전생, 그
이전의 전생, 최초의 전생 등 질문을 바꿔 보는 것도
괜찮은 방법입니다.

## 6. Magic Seven 스프레드 (다윗의 별)

 매직 세븐 스프레드를 알아보겠습니다.
다윗의 별이라고도 불리는 육각형 별 모양의 스프레드
입니다.

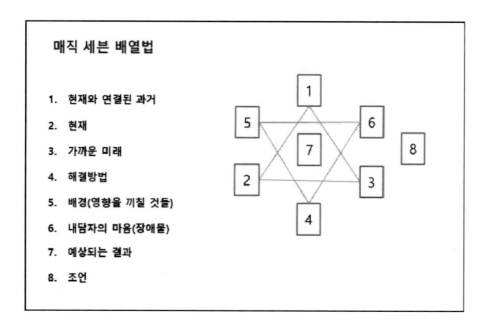

 매직 세븐 스프레드는 3카드 스프레드 보다 4장의 카드를
더 선택하게 되지만 좀 더 구체적이고 세부적인 해석을
가능하게 합니다.
보시는 것처럼 각 위치에 따라 과거와 현재, 가까운 미래,
주변 상황, 질문에 대해 존재하는 장애나 문제, 조언과
결과를 나타내게 됩니다.
따라서 시간의 흐름이나 주변 상황, 문제점이나 조언을
구하는 질문에 적합한 스프레드이며 애정, 금전, 직업 등

다양한 곳에 활용되기도 합니다.
간단한 답을 원하는 질문이나 주변 상황 등을 굳이 언급할 필요가 없는 경우에는 3카드 스프레드를 사용하는것이 더 좋습니다.

<<카드별 상황해석>>

1번 과거 카드는 현재의 상황이나 질문이 있게 된 원인이나 과거 상황을 나타냅니다.

2번 현재 카드는 질문에 관련된 현재 상황을 보여줍니다.

3번 미래 카드는 질문과 관련된 가까운 미래의 상황이나 흐름을 나타냅니다.

4번 조언, 해결책, 제안 카드는 질문자에게 필요한 부분이나 충고의 메시지를 포함합니다.

5번 상대방, 주변 환경 카드는 질문과 관련되어 영향력을 행사하는 주변의 것들을 보여줍니다.

6번 장애, 대립하는 카드는 질문이나 상황이 가지고 있는 문제나 부정적인 요소를 의미합니다.

7번 결과 카드는 질문에 대한 결과나 답을 암시합니다.

# 7. 운명의 실(카르마 스프레드)

<<리딩 프로세서>>

(1) 당신이 이번 삶에 가져온 주된 숙명적 과업
(2) 과업에 필요로 했던 전생에서의 행동
(3) 과업에 필요로 했던 전생에서의 태도나 감정
(4) 이생에서 당신이 통과한 시험
(5) 아직 통과하지 못한 시험

(6) 숙명적 목표를 달성하기 위해 필요한 행동

(7) 숙명적 목표를 달성하기 위해 필요한 태도나 마음가짐

(8) 이 삶에서의 숙명적 목표

(9) 당신의 달성한 목표의 내면에 있는 숙명의 선물

8. 레드썬 플라워 스프레드

 신년운과 평생운을 보기위한 스프레드입니다.
명리를 하시는 분들은 육친에 맞게 통변을 하시면 될
것이고
여자 남자에 따라 자녀 배우자등이 달라지는점 유의해야
합니다.

(1) 비겁
(2) 식상
(3) 재성
(4) 관성
(5) 인성

(6) 1/4분기, 봄, 초년
(7) 2/4분기, 여름, 중년
(8) 3/4분기, 가을, 장년
(9) 4/4분기, 겨울, 말년
(10) 가장 조심해야 할 것
(11) 마스터 조언
(12) 결과

 명리를 못하시는 분들은 남자 여자 구분하지 마시고
아래처럼 하시기 바랍니다.

비겁 - 나, 형제자매, 경쟁자
식상 - 자녀운. 사회성, 활동성
재성 - 재물운, 아버지, 시어머니
관성 - 배우자, 직장운
인성 - 어머니, 땅, 문서, 공부, 인덕

처음에는 쉽지 않겠지만 몇번만 해보시면 통변의 폭도
상당히 넓고 깊이있는 리딩이 가능할 것입니다.

## 9. 연인수 카드 스프레드

(1) 조만간 새로운 연인을 만날 수 있을까?
(2) 새 연인은 어떤 스타일의 사람일까?
(3) 서로가 아주 친밀한 관계가 될수 있을까?
(4) 그 관계가 장기간 지속될 것인가?
(5) 그 사람이 내 영혼의 반쪽이 될 것인가?
　　(결혼의 가능성)
(6) 나의 바램에 대한 결과는?

## 10. 미래 예측 스프레드

* 3장 미래예측

가장 심플하면서도 널리 사용되는 스프레드입니다.
그만큼 타로의 정확성이 올라가고 해석하기 쉬운 스프레드
입니다.

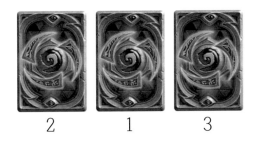

(1) 현재상황
(2) 과거 또는 이미 일어난 상황
(3) 미래 또는 새롭게 고려해야할 것들

* 미래해석 5장 스프레드

5장부터는 카드가 많아지면서 의미가 풍부해지게 됩니다.

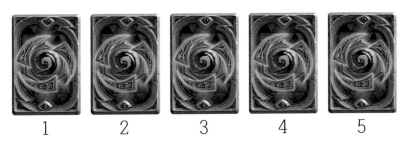

1번카드는 현재상황으로 치환해도 문제 없습니다.


(1) 핵심적이고 중요한 면
(2) 과거의 상황
(3) 미래의 상황
(4) 기본상황
(5) 기회나 발전방향

## 11. 진로결정 스프레드

현재상황에 대해 모호하거나 더 좋은 진로를 선택하거나 결정할 때 사용하는 스프레드입니다.

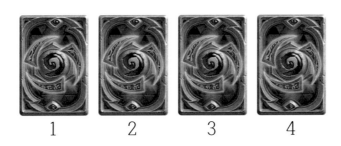

1    2    3    4

(1) 이미 가지고 있거나 가지고 있는 재능

(2) 잘 할수 있는 것

(3) 새로운 것

(4) 배우면 도움되는것

## 12. 메타인지 스프레드

 이 카드는 지금 나에대해 알수있는 스프레드입니다.

때로는 외부상황에 의해 길을 잃고는 합니다.

하지만 메타인지 스프레드를 통해서 자기자신을 바로

세우길 바랍니다.

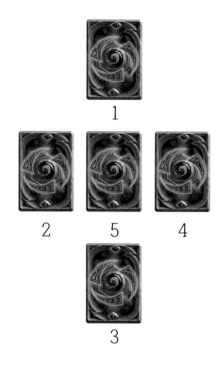

(1) 지금 당신이 서 있는곳

(2) 당신의 과제

(3) 어려움 또는 주저하는 것

(4) 당신의 강점

(5) 목표

13. 인생 스프레드

 내 인생전반을 계속 수정하고 조율 할 수 있게 해주는
멋진 스프레드입니다.

(1) 가능한

(2) 중요한

(3) 용감한

(4) 사소한

(5) 필요한

(6) 편안한

(7) 재치있는

(8) 발전가능성이 있는

## 14. 진로개척 스프레드

　현재 닥친 문제와 진로에대해서 알기 어려울때 쓰기 좋은 스프레드입니다.

타로카드는 이 스프레드를 통해서 자기의 현재상황과 적절한 행동을 알려줍니다.

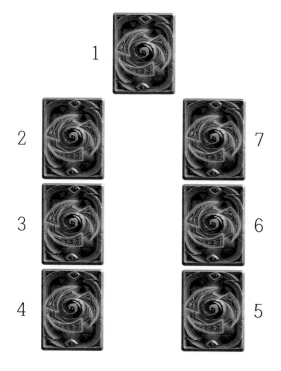

(1) 질문과 관련있는 기회와 위험

<<왼쪽 - 현재까지의 당신의 행동들>>

(2) 의식적인 태도, 생각, 합리적인 근거들, 발상,의도 질문자가 알고 있는 행동약식, 이성적인행동

(3) 무의식적태도, 소망, 질문자가 마음으로 바라는 것, 희망과 두려움, 감정적행동

4) 외향적태도, 질문자가 주변환경에 어떻게 드러나고 있는지에 관한 것, 질문자의 외적인면

**<<오른쪽 – 미래의 행동에 대한 제안 2~4에 대응되는 해석>>**

(5) 외향적태도, 질문자가 어떻게 자신을 세상에 드러내야하는가에 관한 방법

(6) 무의식적태도 감정적인 방향에 대한 제안

(7) 의식적인 태도, 합리적인 행동방식의 제안 스프레드입니다.

15. 꿈 스프레드

 이 스프레드는 특이하게도 카드 앞면을 보고 뽑을 수
있는 카드입니다.

내가 바라는것. 원하는것에 대해 무의식적인 면을

타로를 통해서 이미지를 통해직관적으로 알 수 있다는
장점이 있습니다.
응용하여 사이에 있는 3장의 스프레드는 갯수를 바꾸거나
다른 스프레드를 혼합하여 타로해석에 사용해도 좋습니다.

(1) 현재의 상황
(2) 바라는 목표
(3) (4) (5) 1번과 2번을 연결

## 16. 켈틱 크로스 스프레드

가장 잘 알려져있고 보편적으로 쓰이는 켈틱크로스 스프레드입니다.

초보가 이 스프레드를 운용하기에는 처음에는 힘들 수 있습니다.

하지만 현재 직면한 문제에 대해서 거시적인 시야를 제공하고 해결점을 말해줍니다.

켈틱 크로스에는 여러가지 변형 방식이 있습니다.

리더마다 쓰는 방식이 모두 조금씩 다릅니다.

대표적으로 쓰이는 켈틱 크로스 스프레드 3가지에 대해 알아보겠습니다.

## 1) 한국에서 널리 쓰이는 켈틱 크로스 스프레드

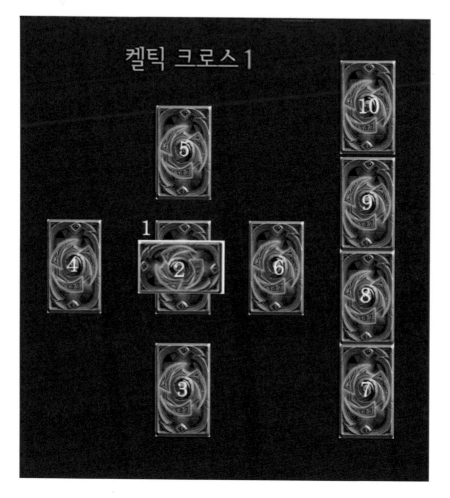

  3번부터 6번까지 시계방향으로 돌아가기 때문에 쉽고 편하게 배열할 수 있습니다.

반대로 6번부터 반시계 방향으로 돌아가며 셔플하기도 합니다.

(1) Significator (예시자) :

내가 처한 현재의 상황 또는 ´나´ 그 자체를 나타냅니다.

(2) The Crossing Card (교차 카드) : 현재 나를

방해하는 요소를 나타냅니다.

(3) The Foundation (기초) : 잠재되어 있는 영향력내

의식 아래 숨겨져 있는 영향력입니다.

(4) The Recent Past (최근의 지나간 과거) : 1번카드

´나´의 지나간 과거를 나타냅니다.

(5) Crown (최고의 단계·절정) : 현재 드러난

영향력나에게 영향력을 행사하는 외부적인 힘입니다.

외부적 상황으로 해석 가능합니다. 5번의 외부적

힘은, 1번의 ´나´를 6번의 가까운 미래로 이끕니다. 1번의

´나´를 ´내부적 힘´인 3번과 ´외부적 힘´인 5번이영향력을

행사하여 6번의 미래로 이끈다고 해석하시면 보다 쉬운

리딩을 하실 수 있습니다.

(6) The Future (가까운 미래) : 드디어 1번의 나는 4번

과거를 지나 1번(그리고 2번도 연계해석)의 현재를 거쳐

3번과 5번의 힘이 이끄는 대로 6번의 미래에 도착합니다.

하지만 이것이 완벽한 결과를 나타내는 것은 아닙니다.

6번은 '중간 결과' 정도로 생각하면 됩니다. 하지만 이
6번 카드는 10번의 최종결과에 강력한 영향력을
발휘합니다.

(7) Emotions, Feelings (감정) : 나 자신이 나를
바라보는 시각내가 자신을 어떻게 생각하며 바라보는지
자신의 깊은 내면에 대한 카드입니다.

(8) External Influence (외부 영향력) : 타인이 나를
바라보는 시각 나에게 영향력을 행사할 수 있는 타인들의
나를 바라보는 시각입니다. 혹은 나의 주변환경,
가족등으로도 해석 가능합니다.

(9) Hope·Ideals·Desires (마음 속의 희망과 두려움)마음
속의 희망과 두려움입니다. 일반적으로 긍정적인 카드가
나오면 자신의 희망, 부정적인 카드가 나오면  자신이 가진
두려움으로 해석합니다.

(10) The Outcome (전체적인 결과) 최종적인 결과를
나타냅니다.
지금까지 읽은 9장의 카드를 정리하여 최종적으로
정리합니다.
가까운 미래 카드인 6번 카드와 연계 해석하면 보다
자연스러운 결과를 도출시킬 수 있습니다.

## 2) 아서 웨이트의 켈틱 크로스 스프레드

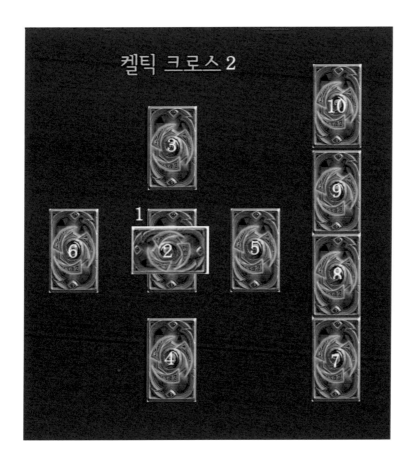

아서 웨이트가 자신의 저서 <픽토리얼 키>에서 직접
언급한 내용입니다.

(1) Significator (What covers him) : 내담자(질문자) 자신 혹은 자신의 상황

(2) What crosses him : 그를 막고있는 것(방해요소)

(3) What crowns him : 그의 위에 있는 것(외부적 영향력)

(4) What is beneath him: 그의 아래 있는 것(내부적 영향력)

(5) What is behind him: 그의 뒤에 있는 것(과거의 일)

(6) What is before him: 그의 앞에 있는 것 (앞으로 올 미래)

(7) Himself: 그 자신

(8) His house: 그의 집안

(9) His hopes or fears: 그의 희망과 두려움

(10) What will come: 앞으로 오게 될 것 (결과)

3) 미국 현지에서 주로 쓰이는 켈틱 크로스 배열

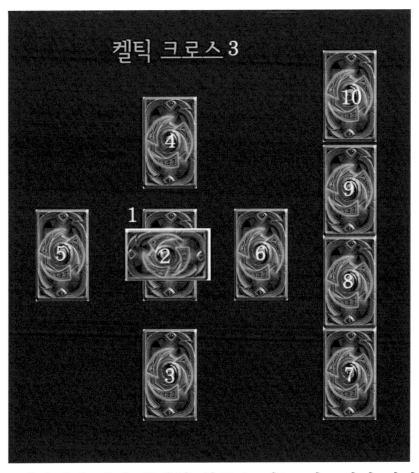

미국 현지에서 가장 활발한 활동을 하는 타로리더 바바라
무어도 자신의 책에서 이 방식을 언급합니다.

타로 스프레드에 관한 많은 미국 현지들이 즐겨 사용하는
방식이기도 합니다.

<<해석법>>

(1) 질문자 자신 혹은 자신의 상황

(2) 교차카드: 그를 막고있는 방해요소

(3) 외부적 영향력

(4) 내부적 영향력

(5) 과거

(6) 가까운 미래

(7) 자신을 바라보는 시각

(8) 주위 환경

(9) 희망과 두려움

(10) 결과

## 17. 말편자 배열법

- 사랑, 인간관계, 연애 사건 등의 문제점에 적용할 수 있습니다.
- 가족, 직장 동료들과의 관계에 대해 사용할 수 있습니다.
- 일곱 장의 카드로 배열해요.
- 한 장은 질문자를 위한 카드이고, 다른 한 장은 상대방을 위한 것입니다.
- 나머지 다섯 장은 차례로 현재의 상태, 떠오르는 문제들, 문제의 핵심, 가까운 미래, 먼 미래를 나타냅니다.

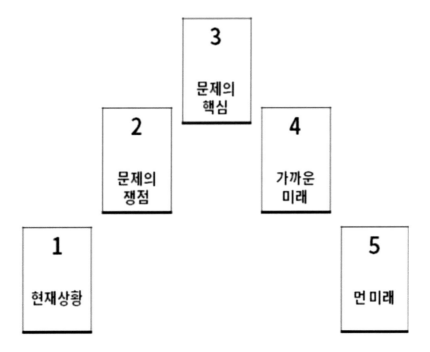

① 질문자의 표시자 역할을 합니다.

- 질문자가 이 관계에 대해 어떻게 느끼고 상대방과 관련하여 어떤 상태에 있는지를 나타내줍니다.

② 상대방

- 질문자의 대상이 되고 있는 상대방의 표시자 역할을 합니다.

- 상대방이 이 관계에 대해 어떻게 느끼고 질문자에 대해 어떤 태도를 보이는지를 나타내 줍니다.

③ 현재 상황

- 관계의 성질이 현재 어떠한지를 나타냅니다.

- 주요한 쟁점과 현재의 분위를 파악할 수 있어요.

④ 떠오르는 문제들

- 관계가 향하고 있는 가까운 미래를 나타냅니다.

- 두 사람 간 중요한 쟁점들의 성질들을 나타냅니다.

⑤ 문제의 핵심

- 해석에서 핵심적인 역할을 할 수 있습니다.

- 긍정적인 카드는 난관들이 많을지라도 전망은 좋을 것임을 암시해 줍니다.

⑥ 가까운 미래

- 6개월~12개월 사이의 미래로 봅니다.

- 긍정적인 카드는 관계가 바람직한 방향을 나타내고 있어요.

- 어려운 카드는 문제들이 부정적으로 다가오고 있음을 암시합니다.

⑦ 먼 미래

- 현재 질문자의 내년까지의 미래를 나타냅니다.

- 나머지 카드들이 모두 어려움을 나타내도 결과카드가 긍정적이면 노력해 볼만한 관계를 나타냅니다.

## 18. 미술심리로 보는 카드 해석

 * 1장의 카드 그림에서 어느 부분에 있는 사물이나 배경에 관심을 갖는지를 통해 내담자의 심리를 파악하는 방법이에요.

* 미술심리는 타로상담에서 질문자로부터 피드백을 얻는 과정에 매우 중요한 요소라 수 있습니다.

- 질문자가 카드의 배경에 나타난 사물이나 그림의 상징들을 찾아내어 연상되는 부분을 가지고 소통할 수 있습니다.

- 그림의 상징은 물론 미술심리 분석 방법을 통해 카드 속에 투사된 질문자의 생각이나 감정들을 유추해 볼 수 있고, 이는 상담자에게 중요한 피드백이 됩니다.

| F | A | G |
|---|---|---|
| D | B | E |
| H | C | I |

① C는 그림의 가장 밑바닥에 있으며 이것은 과거의
의미를 지닙니다. 또한 가장 밑바닥 근본에 해당하므로
감추고 싶은 부분이나 자신의 마음 속 깊은 부분을
나타내고 있어요.
또한 미술심리에서는 불안정감, 자신감이 없음, 타인에게
지지 받고자 하는 욕구, 의존적인 경향, 새로운 경험을
회피하는 경향을 보여줍니다.

② H, I 는 과거의 모습 중 불안정했거나 당당했던 무언가 특별했던 자신의 상태를 반영합니다.
또한 미술심리에서는 왼쪽 하단 구석은 과거와 관련된 우울감, 오른쪽 하단 구석은 미래와 관련된 무망감을 나타낼 수 있다고 합니다.
(※무망감 : 당사자가 느끼는 절망적인 감정. 사례관리 현장에서 많이 사용됨)

③ B는 현재 자신이나 자신의 상황을 나타내고, 주체적, 역동적인 심리상태를 나타냅니다.
또한 미술심리에서는 일반적으로 중앙부분의 투사는 가장 흔한 양상으로 나타나며 이는 적정한 수준의 안정감을 느끼고 있음을 반영하고 있으나 너무 지나치게 가운데 부분에 많은 투사를 할 경우에는 정서적으로 경직된 특성으로 대인관계에서 지나치게 완고하고 융통성이 없음을 나타냅니다.

④ D, E는 현재의 모습 중 불안정하거나 당당하거나 무언가 특별한 자신의 상태를 반영합니다.
또한, 미술심리에서는 왼쪽에 치우친 경우나 충동적으로 행동하려는 경향을 반영하고, 오른쪽으로 치우친 경우에는 어떤 의미를 부여하기 보다는 감정을 통제하려는 경향을 반영하는 것으로 봅니다.

⑤ A는 이상적 자기로 지금 현재 원하는 나의 모습이 될

수 있는 목표를 향한 자신을 나타냅니다.

또한 미술 심리적 관점으로는 자신의 포부나 이상이 높고 달성하기 어려운 목표를 설정해 놓고 갈등, 스트레스를 느끼고 있는 가능성과 현실세계 보다는 자신만의 공상 속에서 만족감을 얻으려는 경향성이 있을 수 있다고 봅니다.

⑥ F, G는 미래의 모습 중 불안정하거나 당당하거나 뭔가 특별해지고 싶은 자신의 상태를 반영합니다.

또한, 미술 심리적 분석으로는 오른쪽 상단 구석은 불쾌한 과거 기억을 억압하고자 하는 바람, 미래에 대한 과도한 낙관주의를 나타내는 것으로 해석합니다. 왼쪽 상단 구석은 내면에 퇴행적인 공상이나 불안정감, 위축감, 불안감이 있음을 반영할 수 있습니다.

미술타로심리

\* 위에서 살펴본 바와 같이, 카드의 중앙에 관심을 가지는 질문자일수록 스스로 능동적이고 주체적이며, 중앙에서 벗어날수록 수동적, 또는 소극적인 심리상태를 나타냅니다.

\* 또한 왼쪽으로 갈수록 과거 지향적인 심리상태를 오른쪽으로 갈수록 미래지향적인 심리상태를 반영하는 것을 볼 수 있어요.

* 여기에서는 미술심리 분석의 단편적인 부분만 소개하지만, 실제로 미술 심리 분석은 좀 더 종합적이고 복잡한 과정을 거칩니다.

 카드의 색상으로 보는 카드 해석

 * 내담자는 그림의 색상(컬러)에 대해서도 특별한 반응을 드러낼 수 있습니다.

* 카드 그림에 입혀진 모든 색은 심리적 반응을 불러일으키는 구체적인 속성과 보편적인 속성을 동시에 가지고 있어요.

 * 색을 보는 주관적 결정에 따라 달리 나타나므로 색채를 보고 있는 연상은 매우 다양한 정서를 드러냅니다.

 * 카드에 있는 다양한 색채의 연상 작업을 통해 기호로써의 상징적 의미를 살펴 심리적 접근의 극대화를 돕도록 합니다.

- 밝거나 강렬한 색상에 안정감을 보이면 내담자의 긍정적이고 열정적인 심리를 반영합니다.
- 어둡고 칙칙한 색상에 안정감을 보인다면 내담자의 부정적이고 무기력한 심리를 반영합니다.

## 19. 관계 배열법

- 사랑, 인간관계, 연애 사건 등의 문제점에 적용할 수
있습니다.
- 가족, 직장 동료들과의 관계에 대해 사용할 수 있습니다.
- 일곱 장의 카드로 배열합니다.
- 한 장은 질문자를 위한 카드이고, 다른 한 장은 상대방을
위한 것입니다.
- 나머지 다섯 장은 차례로 현재의 상태, 떠오르는 문제들,
문제의 핵심, 가까운 미래, 먼 미래를 나타냅니다.

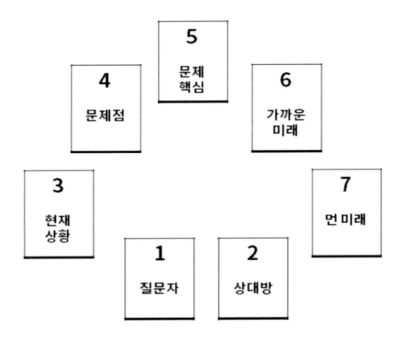

① 질문자의 표시자 역할을 합니다.

  - 질문자가 이 관계에 대해 어떻게 느끼고 상대방과 관련하여 어떤 상태에 있는지를 나타내줍니다.

 ② 상대방

  - 질문자의 대상이 되고 있는 상대방의 표시자 역할을 합니다.

  - 상대방이 이 관계에 대해 어떻게 느끼고 질문자에 대해 어떤 태도를 보이는지를 나타내줍니다.

 ③ 현재 상황

  - 관계의 성질이 현재 어떠한지를 나타냅니다.

  - 주요한 쟁점과 현재의 분위기를 파악할 수 있습니다.

 ④ 떠오르는 문제들

  - 관계가 향하고 있는 가까운 미래를 나타냅니다.

  - 두 사람 간 중요한 쟁점들의 성질들을 나타냅니다.

⑤ 문제의 핵심

　- 해석에서 핵심적인 역할을 할 수 있습니다.

　- 긍정적인 카드는 난관들이 많을지라도 전망은 좋을
것임을 암시해줍니다.

⑥ 가까운 미래

　- 6개월~12개월 사이의 미래로 봅니다.

　- 긍정적인 카드는 관계가 바람직한 방향을 나타내고
있습니다.

　- 어려운 카드는 문제들이 부정적으로 다가오고 있음을
암시합니다.

⑦ 먼 미래

　- 현재 질문자의 내년까지의 미래를 나타냅니다.

　- 나머지 카드들이 모두 어려움을 나타내도 결과카드가
긍정적이면 노력해 볼만한 관계를 나타냅니다.

## 20. 5카드 배열법

■ 좀 더 세밀하게 나누어 적용할 수 있습니다.

■ 시간적 배열로 나눌 수 있습니다.

가장먼미래　　가까운미래　　현재　　가까운미래　　먼미래

①은 가장 먼 과거를 나타냅니다.

②는 최근에 있었던 가까운 상황에 대해서 나타냅니다.

③은 현재의 문제점들 상황 등을 제시합니다.

④는 앞으로 다가올 가까운 미래를 암시합니다.

⑤는 가장 먼 미래를 암시합니다.

## 21. 호환성 스프레드

  호환성 스프레드는 당신이 누군가에게 적합한지 여부를 확인해 봅니다. 이 7 카드 타로 스프레드는 상대를 알아가는 데이트 단계에서 도움이 됩니다. 다만 이런 종류의 리딩에 의존하지 않도록 주의해야 합니다. 그렇지 않으면 아름답고 흥미진진한 데이트 경험을 모두 놓치게 될수도 있습니다.
때때로, 데이트의 재미는 당신과 함께 있는 사람이 당신에게 적합한 사람인지 모를 때 있습니다. 그러나 때때로 카드의 약간의 도움을 사용하여 올바른 방향으로 안내할 수 있습니다.

카드 1과 2는 당신이 관계에서 원하는 것을 보여줍니다. (각각 당신과 당신이 관심있는 상대방).
카드 번호 3은 차이점을 나타내고 카드 번호 4는 유사점을 나타냅니다.
다섯 번째 카드는 당신의 정서적 궁합을 탐구해 봅니다.
6번 카드는 신체적 궁합을 나타내고 7번 카드는 정신적 궁합을 나타냅니다. 통합적 접근으로 객관적인 관점에서 전체 스프레드를 보도록 해야 합니다.

<<호환성 스프레드>>

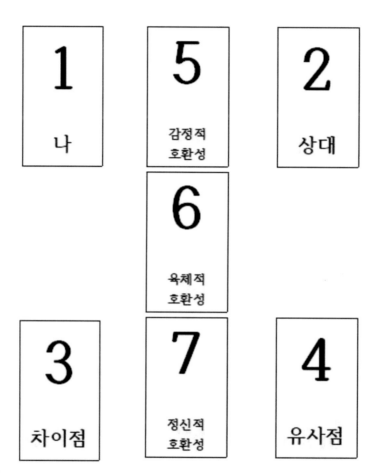

## 22. 한달 운세 스프레드

 한달운세를 볼수 있는 스프레드 종류는 많습니다.
그리고 마스터가 상황에 따라 스프레드를 미리 구현해서 사용해도
됩니다.

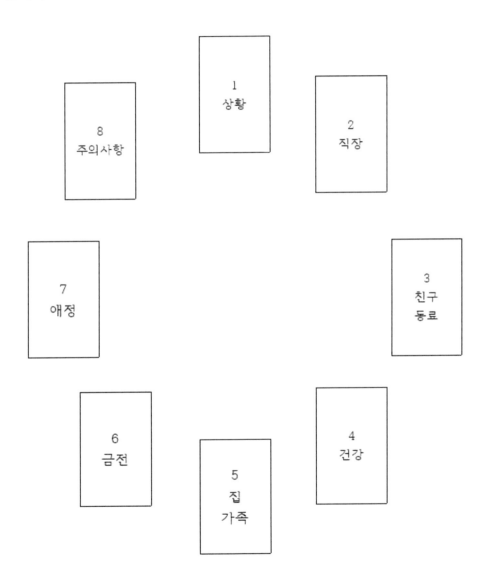

## 23. Yes/No 타로카드

* 메이져 타로카드를 사용합니다.
* 질문에 긍정적인것과 부정적인경우를 판별할 경우에 사용합니다. 예) 대학에 합격하는가?

(1) 긍정적 의미의 카드 (Yes)

0.The Fool , 1.The Magician , 3.The Empress ,

4.The Emperor ,5.The Hierophant, 7.The Chariot ,

10.Wheel of Fortune ,11.Justice , 17.The Star ,

19.The Sun , 21.The World

(2) 부정적 의미의 카드 (NO)

2.The High Priestess , 6.The Lovers , 8.Strength ,

9.The Hermit, 12.The Hanged Man , 13.Death ,

14.Temperance , 15.The Devil ,16.The Tower,

18.The Moon , 20.Judgement

## 24. 신비한 사랑카드 스프레드

* 소요 카드 매수 : 7장
* 배열 형태 3 5 7 2 4 6 1

  3      5      7      2      4      6      1

* 배열 순서 (Deal) : 순서대로 배열한다.

* 해석 (Reading)

1:진실된 연인을 찾을 수 있는 가
2:만나는 사람에게서 평안함을 찾을 수 있는가
3:장차 결혼의 가능성이 잠재하는가
4:지나간 과거의 연인과 비슷한 사람이 아닐까
5:새로운 사람에게 전념할 수 있을까
6:두 사람에게 신비함이 오래 유지될 수 있을까
7:그를 내 인생의 일부가 되도록 하려면 어떻게 해야
하는가

* 주 (comment) : 이 카드의 해석은 YES OR NO 로
해야합니다. 정위치는 yes 역위치는 no입니다.

## 25. 라인 스프레드 (Line Spread)

* 소요 카드 매수 : 5장

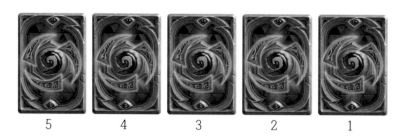

* 배열 형태 5 4 3 2 1

* 배열 순서(Deal):오른쪽에서 왼쪽으로 일렬로 배열합니다.

*해석(Reading):1번과 2번 카드는 과거를 나타냅니다.
3번 카드는 현재를 나타냅니다.
4번과 5번 카드는 미래를 나타냅니다.

* 변형 (Variation) : 현재 카드의 양쪽에 과거/미래 카드를 두 장 대신 서너 장(원하면 보다 더 많이)의 카드를 놓아도 됩니다.

가운데 카드를 보다 더 심도 깊게 이해할수록 과거/미래를 더 잘 알 수 있게 될 것입니다.

## 26. 생명나무 스프레드

 상대방의 본질과 여러 장면과 상황을 가르쳐주는
생명의 나무 스프레드에 관해 알아보겠습니다.

어떤 부분이 강하고, 어떤 부분에 약한지, 그런 것을 알고
싶을 때 사용하는 스프레드입니다.

생명의 나무 스프레드라는 것은 그 이름 그대로 나무의
모습을 한 타로 전개법입니다.

신비사상의 카발라에 있어서 진리를 나타내는 에덴동산
한가운데에 심어져 있던 생명의 나무 모습으로 전개해
나갑니다.

총 10장의 타로카드를 골라서 사람의 본질과 인생,
혹은 생명의 나무를 인체기관에 대응시켜 건강상태를
점쳐보는 등에도 읽어 낼 수 있습니다.

번호대로 놓으시고 읽어내보겠습니다.

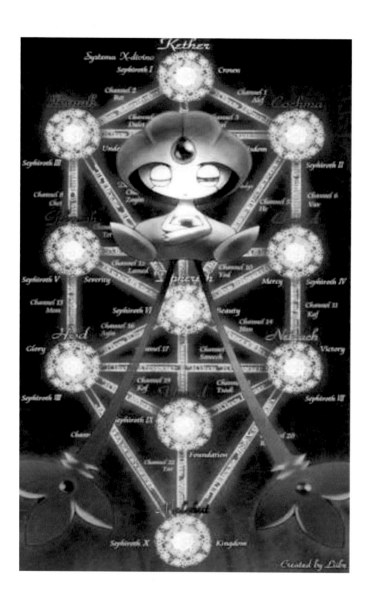

68

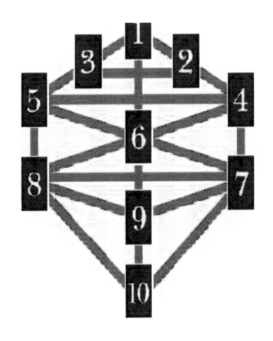

<<생명의 나무>>

(1) Kether (케테르-왕관) : 가장 높은 이상들, 목적과 뜻, 뜻의 일치, 당신이 궁금하게 생각하는 것의 이유

(2) Chokmah (호쿠마-지혜) : 창작의 힘, 외적인 중요성과 아이디어, 아버지, 적의, 잠재된 지혜

(3) Binah (비나-이해) : 영적인 지혜, 이해, 어머니, 생명(혼), 음, 제한을 인정하다, 아이디어를 실체화 시킬 수 있는 능력

(4) Chesed (헤세드-사랑,자비) : 미덕, 기회들, 선물,

수단, 도와주는 사람, 도움, 인정, 힘

(5) Geburah (게부라-심판,힘) : 힘, 정복, 도전, 대립, 재조정, 방해, 부조화, 침범, 힘의 표현, 리더쉽

(6) Tiphereth (티퍼레트-아름다움) : 개성(인격), 자신, 동일성, 건강, 다른이들을 위해 만족하는 경향, 의도, 중심적인 목적이유

(7) Netzach (네자크-승리) : 사랑, 성욕, 본능, 영감, 느낌, 아름다움, 기쁨

(8) Hod (호드-영광) : 생각, 진실과 거짓에 대한 지식, 언어적 표현과 대화, 기술, 분석

(9) Yesod (예소드-기초) : 정신적인 중심, 상상, 환상, 취미, 과거의 삶, 문제의 잠재의식적인 기초

(10) Malkuth (말쿠트-왕국) : 결과
 생명의 나무는 전체적으로 상대의 성격을 나타냅니다.
또 상대가 살아가는 목적과 현재의 심정을 나타냅니다.
상대의 지식과 행동이념, 어떤 일이 일어났을 때 어떻게
행동하는지등을 나타냅니다.

 문제가 있었을 때 상대가 어느정도의 이해를 나타내줄

것인지, 관용이 있는지, 상대자신에게 무엇이 일어났을 때 도움을 구할 것인가, 또는 원조해줄 사람은 있는가?

상대에게 있어 장애가 되는 것은 무엇인가?

마음속에 있는 장애물은 없는지, 조화력이 있는지, 통솔할
수 있는지, 정열을 품고 있을 때 어떻게 행동하는지,
적극성은 있는지, 상대에게 있어 필요한 것, 부족한 것은
무엇인가?
잠재적으로 가지고 있는 본질은 어떤 것인가?

질문에 대한 최종적인 대답 또는 전체적인 모습

 생명의 나무 스프레드로 알아보기 쉬운 것은
신경쓰이는 상대의 본질을 좀 더 알고 싶을 때,

사랑하는 사람을 좀 더 깊게 알고 싶을 때,
교제에서 결혼까지 어떤 사건들이 일어날지,
인생 그 자체의 경로와 운세를 알고 싶을 때 잘 맞는
전개법으로 볼 수 있습니다.

## 27. 포츈 텔러 스프레드

매수: 15장
배열:

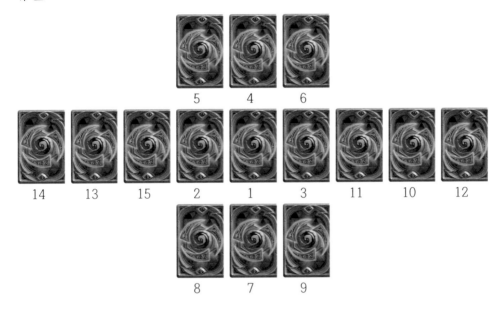

해석:
1-3: 당신에게 줄 것 (To You) 조언
- 결과

4-6: 위에 있는 것 (At head)
- 질문자의 생각

7-9: 아래에 있는 것 (At feet)
- 통제하고 있는 것들, 할 수 있는 선택들

10-12: 곁에 있는 것 (By side)
- 도움 주는 것들

13-15: 주의해야할 것 (Surprise)
- 질문자가 알지 못하고 있는 것, 혹은 간과해 버린 것

## 28. 열쇠 스프레드

매수: 11장

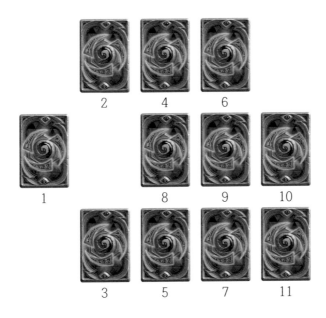

2-4-6 행과 3-5-7 행은 지그재그가 되게 하세요.
배열 순서: 순서대로 배열합니다.

해석:

1: 질문자 & 질문/상황에 관계된 위치

2-7: 3쌍(2,3/ 4,5/ 6,7)으로 이루어집니다.

각 쌍은 두 개의 상반된 영향력, 요인, 사람, 견해 등의 사이에서 생기는 대립을 나타냅니다.
해석은 질문에 맞추어서 하되, 대립되는 것은 질문자가 직면한 문제나 장애물이 될 것입니다.

대립되는 것 중에 하나를 선택할 수도 있고, 혹은 둘을 절충시키려 할 수도 있고, 아니면 단순히 대립되는 것이 있는지를 알아보는 것에 그칠 수도 있습니다.

8: 과거

9: 현재

10: 미래 - 사건의 흐름이 향하고 있는 곳.
이것은 아무런 변화가 없을 때의 미래,
혹은 원하고 있는 미래,
혹은 어떠한 특정한 행동

## 29. 차크라 스프레드

 육체적 질병에 대한 정신적 근원을 발견할 수 있도록 돕는
배열법으로 동양의 7 센터와 서양의 생명나무 개념을
조합한 스프레드.스프레드 사용 전에 질병과 몸의 어느
부위에서 명확한 증상이 발현되고 있는지 집중하면서
질문합니다.

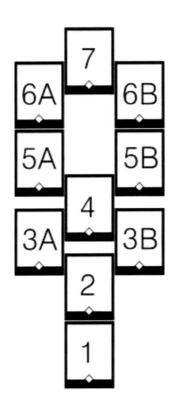

1: Root Chakra. 자신의 현재상태, 본능, 직감.

2: Sacral Chakra. 성적 관심, 욕망.

3: Solar Plexus. 감정, 소망.

4: Heart Chakra. 고차원적인 의식, 절대적인 사랑.

5: Throat Chakra. 창조력, 자기 표현.

6: Brow Chakra. 심적 능력, 정신의 성숙.

7: Crown Chakra. 의식 발전의 독립적인 단계.

## <<구체적 해석>>

### (1) 뿌리 차크라 (자신의 현재 상태, 본능, 직감, 발/다리, 생존력)

당신의 문제에 근원이 되는 것은 무엇입니까?

당신은 얼마나 활력과 에너지가 넘칩니까?

당신에게 묶여있는 습관은 무엇입니까?

### (2) 천골 차크라 (성적 관심, 욕망)

당신은 당신의 성적 에너지를 어떻게 사용하고 있습니까?

당신은 어떤 감정을 깊이 느끼고 있습니까?

당신은 동화되거나 흡수하기 위해 무엇을 노력하는 중입니까?

누구의 에너지와 문제로 당신이 싸우고 있습니까?

## 3A & 3B. 단전(태양신경) 차크라

**(감정, 소망, 신념의 표현방법, 스트레스/긴장, 소화기관)**

누구 혹은 무엇이 B와 강하게 연결되어 있습니까?

누가 A의 제어 속에 있습니까?

B?A와 B를 붙잡고 있는 신념은 무엇입니까?

(두 카드의 에너지 사이의 충돌을 확인할 것.

## (4) 가슴 차크라

**(고차원적인 의식, 절대적인 사랑, 호흡/폐)**

자기자신을 치유하기 위한 당신의 능력은 무엇입니까?

그 능력이 당신의 가슴(마음) 속에 있습니까?

당신의 치유과정(힐링 프로세스)의 열쇠는 무엇입니까?

조건없는 사랑을 위해 반드시 수용해야하는 것은

무엇입니까?

## 5A & 5B. 목 차크라

**(창조력, 자기표현, 내외부 의사소통)**

What dose your unconscious or Inner Self have to say A?

What are you actually communicating B? To whom?

당신은 자신을 어떻게 표현하고 있습니까?

당신의 내면 혹은 외면이 조화를 이루고 있습니까?

## 6A & 6B. 제 3 의 눈 차크라

**(심적 능력, 정신의 성숙)**

**A 카드는 우뇌(왼손) / B 카드는 좌뇌(오른손)**

당신의 비전과 직관은 당신에게 무엇(A)을 말합니까?

What possibilities are you seeing and what would like to manifest B?

## (7) 왕관 차크라

**(의식 발전의 독립적인 단계)**

당신의 치유 결과로 희망하는 것은 무엇입니까?

당신의 치유과정을 도울 수 있는 것은 무엇입니까?

# 30. 영혼 스프레드

## 배열

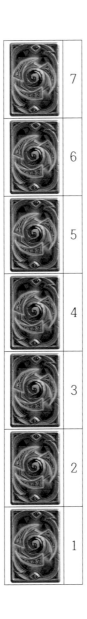

배열 순서

-순서대로 아래에서 위로 배열합니다.
-메이저 카드만 사용합니다.

해석:

1: 질문자
2: 조상의 영혼(Spirit of the Ancestors)
나이가 많은 가족의 영향력
3: 부족의 영혼(Spirit of the Tribe)
관습의 영향력
4: 시간의 영혼(Spirit of the Time)
5: 장소의 영혼(Spirit of Place)
고향과 거주지의 영향력
6: 여정의 영혼(Spirit of the Journey)
지나온 삶의 영향력
7: 어웬(Awen) - 신이나 자연의 선물/축복/은총

## 31. 엘리파스 레비 휠 스프레드

매수: 5 장 배열

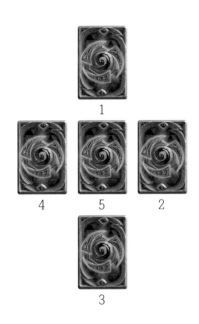

배열 순서: 순서대로 배열한다.

해석

1: 현재 상황

2: 약해진 영향력. 이미 극복된 장애물. 이미 일어난 변화.

3: 숨겨져 있거나 드러나지 않은 영향력.

4: 곧 발생할 영향력.

5: 위 네카드의 종합적 결론.

## 32. 행성 스프레드

매수 : 8장

배열

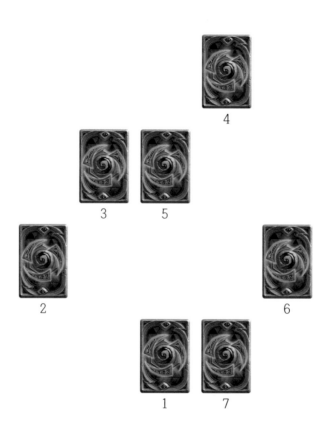

배열 순서: 순서대로 배열합니다.

<<해석>>

1: 달(Moon)
- 내면의 요구, 가정적 혹은 사교적 관계, 여자
(Inner needs, Domestic or social concerns, Women)

2: 수성(Mercury)
- 통신, 지적 관계, 형제, 사업
(Communication, Intellectual Concerns, Siblings,
Business)

3: 금성(Venus)
- 관계, 사랑, 우정, 금전, 예술
(Relationships, Love, Friendship, Money, Art)

4: 태양(Sun)
- 외부로 나타나는 표현, 명예, 건강, 우월, 남자, 성취
(Outer expression , Honor, Health, Superiors, Men,
Achievement)

5: 화성(Mars)
- 창조, 성, 투쟁, 불운, 적
(Creation, Sex, Struggle, Misfortune, Enemies)

6: 목성(Jupiter)
- 성장의 기회, 사업, 종교, 획득
(Opportunities for growth, Business, Religion,
Acquisitions)

7: 토성(Saturn)
- 과정과 한계, 병, 손실, 비밀, 연장자, 심사숙고
(Lessons & limitations, Illness, Loss, Secrets,
Elders, Intellectual deliberation)

※나란히 놓인 카드들끼리 짝을 지어 해석할 수 있다.(달의
카드와 태양의 카드, 금성의 카드와 화성의 카드 등)

# 33. 플레잉 덱 스프레드

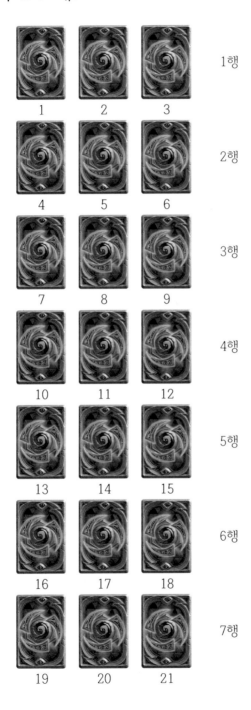

1행

1    2    3

2행

4    5    6

3행

7    8    9

4행

10   11   12

5행

13   14   15

6행

16   17   18

7행

19   20   21

89

매수: 21장

<<배열 순서>>

 카드들을 잘 섞은 다음 질문자 카드(Querent card)를
뽑습니다. 그런 다음 카드를 세 묶음으로 나눕니다. 각
묶음은 과거(왼쪽), 현재(가운데), 미래(오른쪽)을
나타냅니다.
질문자 카드(Querent card)를 한 묶음에 위치시킵니다.

<<해석>>

1행: 상황, 마음의 상태
2행: 가족, 관계
3행: 희망, 소망, 이상
4행: 예상되는 일(장기간)
5행: 돌발 사고
6행: 곧 일어날 사건의 진행 상황
7행: 결과(장기간)

## 34. 액션 스프레드 (Action Spread)

* 소요 카드 매수 : 5장
* 배열 형태 (Layout)

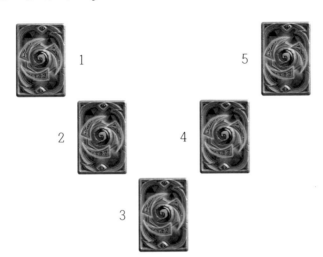

* 해석 (Reading)

1: 사건의 핵심
2: 과거
3: 사건에 보다더 적절한 대응하기 위해 행해온, 그리고
행하고 있는 방법
4: 외부 환경
5: 문제의 해결책

## 35. 동서남북 스프레드 (Spread of the Elements)

　　* 소요 카드 매수 : 5장
　　* 배열 형태 (Layout)

* 배열 순서 (Deal)
Q 카드 -> E(동) -> S(남) -> W(서) -> N(북)
(시계방향)

* 해석 (Reading)
　　- 균형 혹은 발전이 필요한 것의 내면을 들여다
보고자 할 때 사용합니다.
　　Q: 질문자
　　E: 지적 혹은 정신적인 면
　　S: 감각적 그리고/혹은 직감적인 면
　　W: 감정적인 면
　　N: 직관적 그리고/혹은 영적인 면

## 36. 나선 스프레드 (Spiral Spread)

   * 소요 카드 매수 : 10장
   * 배열 형태 (Layout)

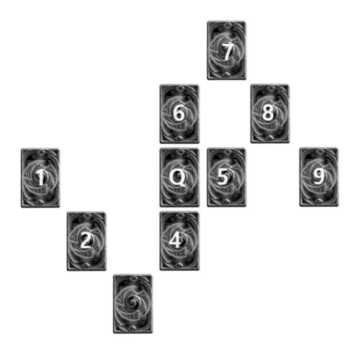

* 배열 순서 (Deal) : Q 카드를 제일 먼저 내려놓은 후 순서대로 배열합니다. 5번 카드는 Q 카드 위에 포개어 놓습니다.

* 해석 (Reading)

Q: 질문자 (The Querent)
1: 기초 (Foundation)
        - 질문자가 처한 현재 사건의 기반
2: 과거의 행동 (Past Actions)
        - 질문자가 과거에 한 행동 중에서 현재 사건에
영향을 미치는 것
3: 과거의 감정 (Past Emotions)
        - 과거의 질문자의 감정 상태
4: 과거의 외부 영향 (Past Outside Influences)
        - 질문자의 현재 사건에 영향을 미치는 다른
사람들의 행동이나 감정
5: 현재 위치(Current Position)
        - 현재 사건과 관계되어 지금 질문자가 위치하고
있는 곳(장소, 상황)
6: 미래의 외부 영향 (Future Otside Influences)
        - 질문자에게 영향을 미칠 다른 사람들의
행동이나 감정
7: 미래의 감정 (Future Emotions)
        - 질문자가 주의해야할 미래의 감정들
8: 미래의 행동 (Future Action)
        - 질문자가 미래에 행할 행동들

9: 결과(Outcome) - 사건의 예상되는 결과

## 37. 난로 스프레드 (Hearth Spread)

　* 소요 카드 매수 : 8장

　* 배열 형태 (Layout)

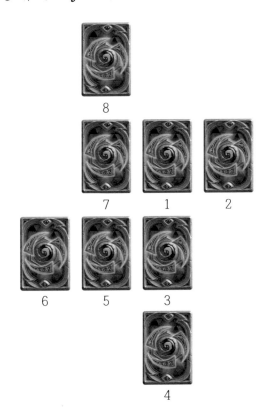

* 배열 순서 (Deal) : 순서대로 배열합니다.

* 해석 (Reading)

      1 & 2: 동 (East) - 감지 (Perceived)
          - 질문자가 사건을 파악하는 과정
      3 & 4: 남 (South) - 관측 (Observed)
          - 다른 사람들이 사건을 파악하는 과정
      5 & 6: 서 (West) - 바램 (Desired)
          - 질문자가 바라는 사건의 추이
      7 & 8: 북 (North) - 가능성 (Potential)
          - 예상되는 사건의 결말

* 변형 (Variation) : 각 네 방향에 대한 개인적인 해석으로 다양한 의미를 부여할 수 있습니다.

## 38. 어웬 스프레드 (Awen Spread)

* 소요 카드 매수 : 9장
* 배열 형태 (Layout)

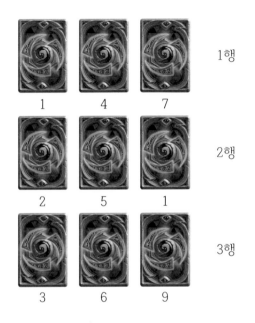

* 배열 순서 (Deal) : 순서대로 배열합니다.
* 해석 (Reading)

　　열: 각 열은 왼쪽에서부터 과거, 현재, 미래를 나타냅니다.

　　1행: 상황이나 사건의 원인, 원동력, 추진력, 지도적 원리, 동기 등

　　2행: 감정적, 사회적, 타인과의 관계적인 면에의 결과

　　3행: 실제 나타나는 신체적, 물질적인 면에의 결과

## 39. 아만다의 부채 (Amanda´s Fan)

* 소요 카드 매수 : 9장
* 배열 형태 (Layout)

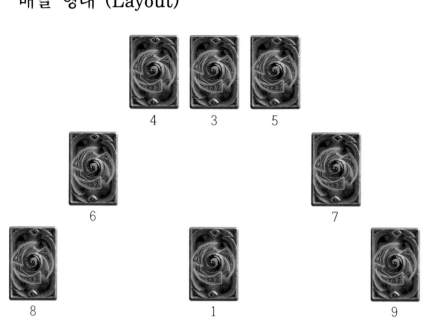

* 배열 순서 (Deal)
    - 2번 카드는 켈틱 크로스에서처럼 1번 카드 위에 교차되게 놓습니다.
    - 3~7번 카드는 부채처럼 보이게 아치형으로 배열합니다.

* 해석 (Reading)

    1: 질문자
    2: 장애물
    3: 기초
    4: 과거
    5: 현재
    6: 미래
    7: 결과
    8: 내부의 영향
    9: 외부의 영향

# 40. 만다라/연금술 스프레드 (Mandala/Alchemical Spread)

　　* 소요 카드 매수 : 9장/13장

　　* 배열 형태 (Layout)

10

11

9

8

2

7

1

3

6

4

5

13

12

* 배열 순서 (Deal)

    - 순서대로 배열합니다.
    - 9번 카드까지만 배열하면 만다라 스프레드,
     13번 카드까지 모두 배열하면 연금술 스프레드

* 해석 (Reading)

    1: 자신
    2: 바라는 것
    3: 도달하고 싶어하는 이상
    4: 도달하고자 실제 추구하는 목표
    5: 집착하고 있는 것 (예를 들어 행복을 꿈꾸면서 돈에 집착하는 것 등)
    6: 질문자의 좋은 면
    7: 개선되어야 할 나쁜 점
    8: 자신에 대한 관점
    9: 원동력. 진실된 목적과 운명.
    10: 땅(Earth). 어둠, 신비, 미지.
    11: 바람(Air). 정신적인 계몽.
    12: 불(Fire). 지적, 이성적 사상, 의지.
    13: 물(Water). 창조성, 감정.

# 41. 매직 크로스 스프레드 (Magic Cross Spread)
## (or) 크리스쳔 크로스 스프레드 (Christian Cross Spread)

* 소요 카드 매수 : 13장
* 배열 형태 (Layout)

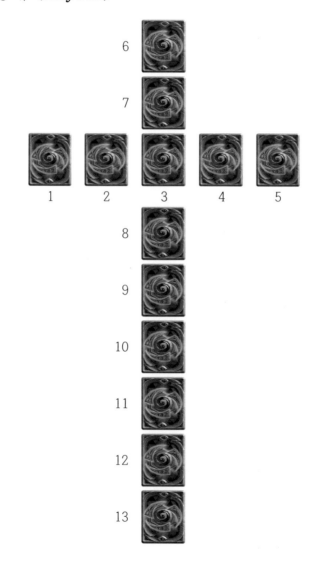

* 배열 순서 (Deal) : 순서대로 배열합니다.

* 해석 (Reading)

      왼쪽 가지(1, 2): 과거

      3: 현재

      아래쪽 가지(8~13): 미래

      오른쪽 가지(4, 5): 장애물

      위쪽 가지(6, 7): 희망, 바램, 이상

## 42. 카발리스틱 크로스 (Qabalistic Cross)
   * 소요 카드 매수 : 14장
   * 배열 형태 (Layout)

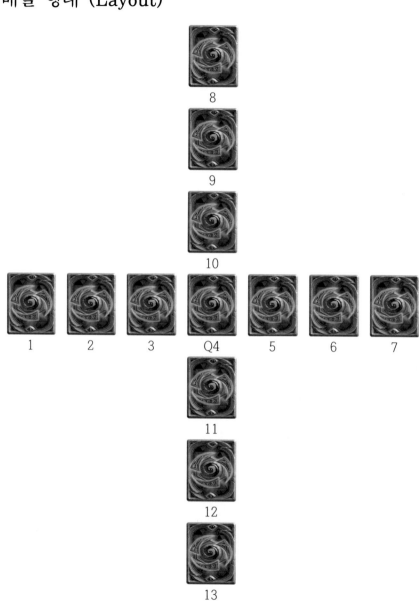

* 배열 순서 (Deal) : 순서대로 배열합니다.

* 해석 (Reading)

    4: 질문자의 마음 상태

    13, 12, 11: 과거, 13번 카드가 제일 먼 과거

    10, 9, 8: 미래, 8번 카드가 제일 먼 미래

    5, 6, 7: 사건에 관계된 다른 사람들의 감정

# 43. 소울 드리머 스프레드 (Soul Dreamers Spread)

* 소요 카드 매수 : 7장
* 배열 형태 (Layout)

| X | X | X | X | X | X | X | X | X | X |
|---|---|---|---|---|---|---|---|---|---|
| X |   | 5 |   |   |   |   | X |   |   |
| X |   |   |   | 2 |   |   | X |   |   |
| X |   |   | 1 |   |   | 6 | X |   |   |
| X | 4 |   |   |   |   |   | X |   |   |
| X |   |   |   | 3 |   |   | X |   |   |
| X |   |   |   |   |   |   | X |   |   |
| X |   |   | 7 |   |   |   | X |   |   |
| X | X | X | X | X | X | X | X | X | X |

- X 는 각 카드들의 위치 관계를 보이는데 사용된 것입니다.

카드는 밖으로 뻗어나가는 시계방향의 나선을 만들도록 위치시키고, 위 그림에서 보여진 것보다 더 둥글게 배열합니다.

* 배열 순서 (Deal)
    - 1번 카드를 선택해서 질문자 카드(Querent card)로 정합니다.
    카드를 잘 섞은 다음 순서대로 배열합니다.

* 해석 (Reading)
    - 이 해석은 꿈의 메세지나 의미를 이해하는 것을 도와줄 것입니다.

    1: 기준 카드(Key).
        - 꿈의 내용이나 그 꿈에 대한 감정을 나타냅니다.
    2: 꿈의 상황(Dream Situation).
        - 시간, 장소, 방법, 이유 등의 꿈의 사건에 관해 말해줍니다.
    3: 내면의 힘(Energy Within).
        - 그 꿈의 기본적인 원동력을 나타냅니다.
    4: 의식적인 의미(Conscious Meaning).
        - 꿈이 ´살아가고 있는 삶(walking life)´에서의 당신에게 말해주는 것.

5: 무의식적인 의미(Subconscious Meaning).

　- 꿈이 내면의 정신 세계에서의 당신에게
말해주는 것.

　6: 예리한 힘(Serpent Energy).

　- 꿈을 실질적으로 명백하게 하기 위해 필요한
힘,

　　혹은 원한다면, 꿈의 딜레마를 해결하기 위해
필요한 힘.

　7: 결과(Outcome).

　- 꿈이 명백해지는 방법과 그것의 영향.

# 44. 스플릿 헥사그램 스프레드 (Split Hexagram Spread)

* 소요 카드 매수 : 7장
* 배열 형태 (Layout)

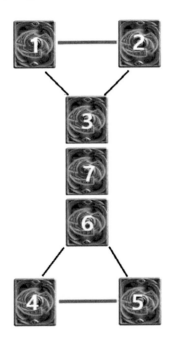

* 해석 (Reading)

    1 & 2: 모르고 있는 영적인 영향력.

        1번 카드가 2번 카드보다 더 강력한 영향력을
가지고 있습니다.

    3: 사건에 대한 영적인 조언

    4: 무의식적인 바램

    5: 의식적인 바램

    6: 현실적인 조언

    7: 현재 상태가 지속될 때의 결과

# 45. 컵 오브 릴레이션쉽 스프레드(Cup of Relationships Spread)

* 소요 카드 매수 : 11장
* 배열 형태 (Layout)

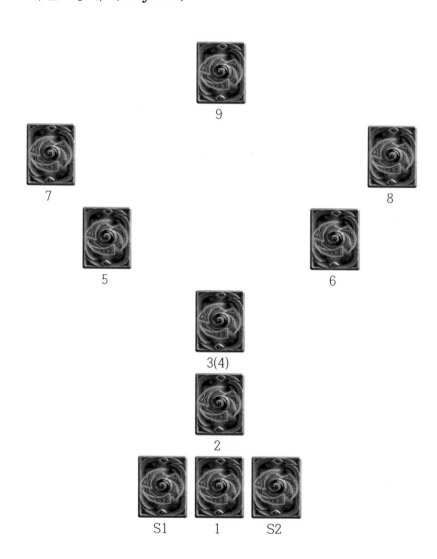

- 4번 카드는 켈틱에서처럼 3번 카드에 엇갈리게 놓습니다.

* 배열 순서 (Deal) : S1과 S2를 먼저 놓고 순서대로
배열합니다.


* 해석 (Reading)

    S1: 질문자 1
    S2: 질문자 2
    1: 관계의 기초
    2: 최근의 과거
    3: 관계의 현재 상태
    4: 둘이 직면한 장애물
    5: 관계에 대한 S1의 관점
    6: 관계에 대한 S2의 관점
    7: 관계에 대한 S1의 바라는 것
    8: 관계에 대한 S2의 바라는 것
    9: 최상의 결과

* 변형 (Variation)
    - Sagie의 말에 따르면 결과가 분명치 않은 경우
      9번 카드에 부연 설명 카드를 덧붙여도 됩니다.

## 46. 결혼운 스프레드

<<타로배열법>>

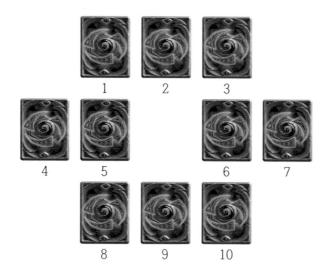

<<해석법>>

1. 나는 결혼할 수 있을까? 에서 너무 나쁜 답이 아니면 뒤에는 필요 없겠죠.

2. 어떤사람과 궁합이 좋을까? 는 상황에 따라 궁정카드와 메이저카드만 사용할 수 있습니다.

3. 잘통하는 사람일까? 의사소통이 잘될수있는지 소통의 위해 필요한것을 볼수 있습니다.

4. 서로 책임감이 있을까? 서로 믿고 의지할 수 있는 사이인지 확인할 수 있습니다.

5. 추구하는 바가 비슷할까? 취미나 사상이 비슷해 결혼생활이 원활할까?

6. 상대방의 가족이 나를 받아줄까? 상대가족에 대한 걱정이나 나에대한 생각을 볼 수 있습니다.

7. 어떻게 만날 수 있을까? 만나기위해서 내가 취해야할것들

8. 둘의 재정상황은 어떨까? 상대의 재력정도나 자산공유여부를 알 수 있습니다.

9. 상대를 만나기전 해야할것? 내가 고쳐야할것이나 준비해야 할것들

10. 최종결과

## 47. 금전운 스프레드

금전운 스프레드 - 재정상황이 좋아지기 위한 조언

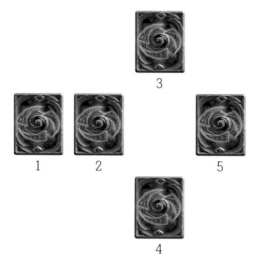

<<해석법>>
1. 현재 재정 상황

2. 지금 재정상황이 된 이유 - 돈에 대한 신념이나 과거의 재정적 사건

3. 방해요소 - 재정상황이 좋아지는데 방해가 되는 것

4. 알아야 할 것 - 깨달아야 할 것, 익숙하지 않아 억지로라도 익혀야 할 것, 모르고 있어서 배워야 할 것

5. 조언 - 마음가짐, 좋아지기 위한 조언

## 48. 연애운 스프레드

<<배열법>>

(1) 나는 왜 연애를 하지 못하는 걸까?
(2) 어떻게 1번을 극복할수 있을까?
(3) 새 연인을 만나기 위해 내가 무엇을 해야할까?
(4) 어떤 사람이 나와 잘 맞을까?
(5) 어디가면 그 사람을 만날 수 있을까?
(6) 언제 그사람을 만나게 될까?
(7) 조언 – 그 사람을 만나기 위해 마음이나 행동

## 49. 재회운 스프레드

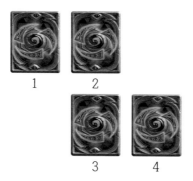

1. 헤어진의 이유
2. 헤어진 상황에 상대방의 심정
3. 재회를 하게될까?
4. 조언카드

## 50. 진정한 사랑을 찾는 스프레드

<<배열법>>

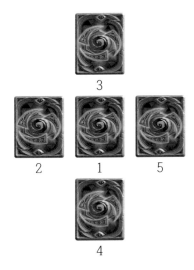

<<해석>>
(1) 사랑의 핵심문제 상황 감정파악
(2) 사랑에 영향을 미치는 행동패턴
(3) 사랑을 위해 내가 더 개발하고 키워야할 것
(4) 사랑을 위해 변해야할 것
(5) 사랑을 위해 자유롭게 표현하고 추구해야 할 것

## 51. 연락 스프레드

<<배열법>>

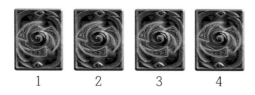

1. 그 사람 나에 대한 마음

2. 연락이 올까요?

3. 내가 그 사람에 대한 마음

4. 내가 연락하면 어떻게 될까?

## 52. 속마음 스프레드

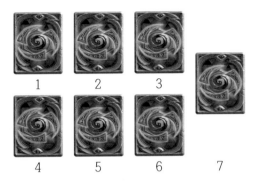

(1) 과거 상대가 나에게 가진마음
(2) 지금 상대가 나를 어떻게 생각하는가?
(3) 미래 나를 어떻게 생각할 것인가?
(4) 과거 내가 상대에게 가진마음
(5) 지금 내가 상대를 어떻게 생각하나?
(6) 미래 상대를 어떻게 생각할 것인가?
(7) 우리는 어떤 인연입니까?

## 53. 신년운세 스프레드

 첫 번째로 전체 운세와 신년 운세를 볼수 있습니다.
1~12 장을 뽑아 자리에 순서대로 나열합니다.
순서대로 자리에 위치한 운세를 풀이하면 됩니다.
위치한 운세 외에도 같은 방법으로
1월~12월  총 일 년 운세를 달별로 볼 수도 있습니다.

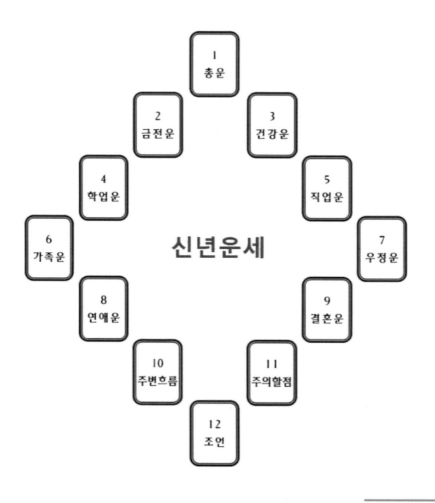

## 54. 6개월 운세 스프레드

 가까운 6개월 운세를 보는 방법입니다.
인생에서 제일 중요한 금전운과 연애운, 이럴 때 쓰는 타로
카드 배열법입니다.
현재달은 이미 지나고 있으니 넘어가고 현재의 날짜에서
다음 달부터 봅니다.
총 6개월의 운세를 봅니다.

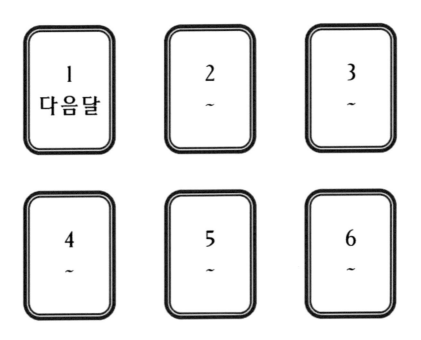

## 55. 사랑운 스프레드

* 나의 님은 어디에?

(1) 나의 이상형
(2) 연애를 하지 못한 이유
(3) 만나게 될 사람
(4) 방법(언제, 어디서, 어떻게)
(5) 관계의 감정

* 말해봐

(1) 상대방은 질문자를 어떻게 생각하는가?
(2) 상대방의 행동
(3) 질문자는 상대방을 어떻게 생각하는가?
(4) 질문자의 행동
(5) 관계의 특징
(6) 관계의 결론

\* 사랑의 변화

(1) 헤어짐의 원인
(2) 상대방의 현재마음
(3) 질문자에 대한 마음
(4) 상대방이 후회하는 것
(5) 관계의 개선점
(6) 조언

## 56. 구체적 1년 운세스프레드

(1) 나의기운

(2) 금전운

(3) 형제자매, 대인관계, 단체생활

(4) 부모님, 가족관계

(5) 애정운

(6) 건강운

(7) 지인과의 관계

(8) 속궁합, 타인의 도움

(9) 학업, 시험, 자격증, 새로운 도전

(10) 명예, 명성

(11) 장애물, 주의점

(12) 총운, 조언

## 57. 작은 주술

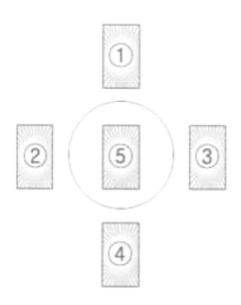

(카드 5장)

1. 첫 번째 카드는 당신의 직감으로부터의 계시
2. 두 번째 카드는 당신의 육체로부터의 계시
3. 세 번째 카드는 당신의 감성으로부터의 계시
4. 네 번째 카드는 당신의 영혼으로부터의 계시.
5. 다섯 번째 카드는 당신의 생의 다음 단계

## 58. 사랑의 아스트로

 사랑의 타로에서의 아스트로-타로 (Astro-Tarot) -
12장의 카드 사용하기

아스트로-타로는 12개의 별자리와 12개의 점성학적인
영역들을 하나의 타로 스프레드로 이식한 것입니다.

전통적인 아스트로-타로와는 달리, 사랑의 타로에서
사용되는 아스트로-타로는 12카드를 모두 인간 관계의
영역에 대해서만 해석합니다.

카드들은 섞고, 떼고, 아래 그림대로 한번에 한 장씩 펼쳐
놓습니다.
한번에 한 동반자씩 다루도록 합니다.

당신이 뽑은 카드들을 기록해 두고 그 후 동반자가
그(녀)의 카드들을 뽑게 한 뒤, 그것들을 비교하면 뽑은
카드와 얻은 통찰들을 비교할 수도 있습니다.

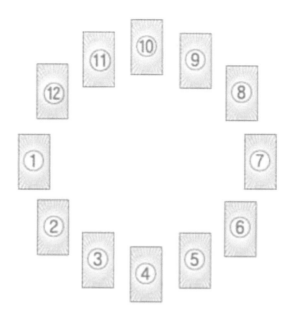

(1) 첫 번째 카드는 동반자와 관계에 대한 우리들의
개인적인 태도나 관점을 나타냅니다.

(2) 두 번째 카드는 관계 내에서의 우리의 물질적,
금전적인 기대와 행동 패턴을 가리킵니다.

(3) 세 번째 카드는 우리가 사용하는 공유의 방법, 그리고
의사소통을 의미합니다.

(4) 네 번째 카드는 관계의 바탕에 대한 지난 경험, 또한
무의식적인 욕망들을 나타냅니다.

(5) 다섯 번째 카드는 관계 내에서 창조적으로 기쁨과 인생의 즐거움을 발견할 수 있게 해주는 기회(뿐만 아니라 생산과 탄생)를 의미합니다.

(6) 여섯 번째 카드는 관계 내에서 우리가 해야할 일에 대한 힌트, 무엇을 배워야 할지, 그리고 무엇을 따라야 할지를 전해준다; 그것은 또한 건강과 자연적인 생활 스타일과 관련되어 있습니다.

(7) 일곱 번째 카드는 동반자에게 기대하는, 우리들을 향한 태도와 관점을 보여줍니다. 충족되지 못하거나 방향이 잘못 잡힌 기대들은 결과적으로 실망이나 환멸을 일으킬 것입니다.

(8) 여덟 번째 카드는 관계에 대한 비현실적인 기대들이 불러일으키는 위기와 변형들을 의미합니다. 경우에 따라 이 카드는 동반자의 가족에 의한 상속을 뜻할 수도 있습니다.

(9) 아홉 번째 카드는 동반자 관계 내에서의 영적인 방향 설정의 과정과 새로운 지평과 목표의 발견을 반영합니다.

(10) 열 번째 카드는 어떻게 하면 우리의 관계가 공통된 사회적 관심사에 영향을 미칠 수 있는지 나타냅니다. 또한 그것은 상호적인 물질적 이득을 얻을 수 있는 방법을

말해줍니다.

(11) 열한 번째 카드는 여태까지 관계 내에서 퍼지고, 실천되거나 해소되어야만 했던 좋은 기회들, 또는 두려움들을 가리킵니다.

(12) 열두 번째 카드는 우리가 동반자 관계 생활의 난관들에 의식적으로 맞부딪힐 경우 우리가 얻을 수 있는 개인적인 발전과 자유를 상징합니다.
또한 그것은 상호보완적인 이익의 범위에서 벗어나는 관계의 끝을 가리킬지도 모릅니다.
즉, 이 카드는 이상적인 에너지의 흐름, 아니면 최종적인 에너지의 장애물, 둘 중 하나를 의미합니다.


아스트로-타로는 인간 관계 내에서의 반복적인 행동 패턴을 발견하고 개선과 개인적인 성장을 보장할 수 있는 긍정적이며 민감한 방법들을 찾는데 사용됩니다.
한 카드가 당신에게 전달력을 갖지 못한다면, 당신은 명확한 뜻을 알아내기 위해 카드를 한 장 더 뽑을 수도 있습니다.

## 59. 사랑의 별 스프레드

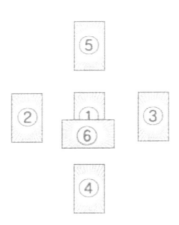

The Star of Love(사랑의 별)
카드 6장 사용하기

사랑의 별은 사랑의 타로를 위해 특별히 고안된 스프레드입니다. 이 독특한 기술은 여러 타로 해석 작업을 통해 자신의 우수함을 증명해왔습니다.

사랑의 별은 인간 관계와 의사 소통의 가장 결정적인 원인과 영향이 되는 요소들에 대한 통찰력을 갖게 해줍니다.

사랑의 별은 문제가 되는 질문이 발전할 양상을 이끌고 심지어 조종하기까지 하는, 실재하는 힘들을 나타냅니다.

이 타로 스프레드는 다른 덱의 카드들에 비해 사랑의 타로와 병행하여 사용할 때 큰 효과를 발휘합니다.

당신이 묻는 질문과 그에 해당되는 카드 (카드 6장 짜리 스프레드에 대한 설명은 뒤따르는 목록에 나와 있음)에 따라 결정되는 첫 번째 카드를 위를 향하도록 내려놓습니다.

이 첫 번째 카드는 현재 다루는 문제를 나타내며 스프레드의 한가운데를 차지합니다.
당신이 원하는 방식으로 나머지 카드들을 섞고 뗀 후 다음 5장의 카드들을 뽑습니다.

두 번째 카드는 질문에 영향을 미치는 여성적인 에너지와 영향력을 의미합니다.

세 번째 카드는 질문에 영향을 미치는 남성적인 에너지와 영향력을 의미합니다.

네 번째 카드는 아직도 우리에게 영향을 미치는, 우리의 지난 삶(환생을 믿는다면 여러 번의 삶)에서 비롯되는 교훈들을 나타냅니다.

다섯 번째 카드는 근본적으로 우리가 도달하고 싶은 결과나 해결책을 향해 가리키는, 질문과 관련된 우리의 희망, 욕망, 의도, 그리고 목표들을 나타냅니다.

첫 번째 카드를 절반쯤 가리는 여섯 번째 카드 보조적이거
나 대립적인 힘들, 유용하게 작용할 요소들, 혹은 우리가
목표에 도달하는 길을 가로막을 장애물들의 성질에 초점을
맞춥니다.

저자 약력

* 사주명리상담 현업
* 타로심리 상담사
* 최면세션 심리치료
* 역학자문위원
* 고전풍금 및 아코디언 연주가

저서

* 직관 필 사주명리
* 써먹는 타로카드
* 타로실전 리딩 사례집
* 타로 손자병법
* 옥소리 아코디언교본
* 오라이 77번 버스안내양
* 손금 그속의 비밀
* 사주한자독파교본
* 마차집일기
* 건강이 재물이다
* 인연 창작시집
* 어서와! 사주독학은 처음이지
* 타로배열법 완전정복외 다수

작가연락처
* 메일 cyberm91@naver.com
* 블로그 http://blog.naver.com/cyberm91
* 홈 https://tarounse8.modoo.at/

타로배열법 완전정복

지은이 | 박광열
펴낸이 | 한건희
펴낸곳 | 주식회사 부크크
발행일자 | 2024년 2월 16일
출판사등록 | 2014.07.15.(제2014-16호)
주   소 | 서울특별시 금천구 가산디지털1로 119 SK트윈타워 A
동 305호
전   화 | 1670-8316
이메일 | info@bookk.co.kr
isbn | 979-11-410-7124-0